© 2013, Editorial Corimbo por la edición en español
Av. Pla del Vent 56, 08970 Sant Joan Despí, Barcelona
e-mail: corimbo@corimbo.es
www.corimbo.es
Traducción al español de Fina Marfá
1ª edición mayo 2013
Texto © Yukiko Kato 2008
Ilustraciones © Komako Sakai 2008
Publicado originalmente por Fukuinkan Shoten Publishers, Inc.,
Tokyo, Japón en 2008
Título de la edición original: *KUSAHARA*
Derechos de la edición en castellano, negociados con
Fukuinkan Shoten Publishers, Inc. Tokio
Todos los derechos reservados
Impreso en AVC Gràfiques, S.L.
Depósito legal: B-10876-2013
ISBN: 978-84-8470-480-5

En el prado

Texto de Yukiko Kato
Ilustraciones de Komako Sakai

Hoy mis padres, mi hermano y yo
hemos ido a jugar al río.
Cling-clang-cling-clang.
Parece que el agua, al bajar, cante
una canción.
—¡Yu-Chan, ven! —grita mi padre.
Mmmm… creo que no quiero ir…

¡Mira, una mariposa! Se ha posado sobre
una piedra. Qué alas más bonitas tiene,
son de color naranja con topitos negros.

Cuando me acerco para tocarla,
la mariposa huye volando hacia el prado.
¡Espera, mariposa, espera!

Me abro camino entre flores y hojas. Desprenden olor de pasta de dientes, de menta fresca.
Abriendo y cerrando las alas, la mariposa sigue volando.
Espera, mariposa, espera.

Las hierbas se me enredan en los zapatos. ¡Ay!
Casi me caigo.
Hojas largas, hojas redondas, hojas dentadas me hacen
cosquillas en las piernas.
Tiqui-tiqui-tiqui…

El viento sopla y susurra entre las hierbas. *Psssss-psssss-psssss.*

El prado se mece como las olas del mar.
Mi barriga se sumerge en la ola.
Los hombros también.

Por encima de este mar verde solo
asoman mi sombrero y mi cara.

A mi alrededor solo veo hierbas muy altas,
que me miran en silencio desde lo alto.
Ahora ya no veo la mariposa.

¡Ping! ¿Qué es lo que me ha saltado sobre el brazo?
¡Un saltamontes de color verde! Saltamontes, no te vayas.

¡Ping!
¡Se ha ido!

Al moverme, una hoja me ha rozado la cara.
Tengo ganas de llorar. Por eso cierro los ojos.

De repente, oigo muchos sonidos distintos a la vez.
Tit-tit-tit... Croc-croc-croc... Piu-piu-piu... Cling-cling-cling.
Y a lo lejos oigo el río que sigue con su canción. *Cling-clang-cling-clang.*

¿Dónde estoy?

—Yu-Chan, ¿qué estás haciendo?

He abierto los ojos y he visto a mi madre sonriéndome.

—Mamá, ¿cómo sabías que estaba aquí?